Jean - Michel
le caribou
est amoureux

Magali Le Huche

ACTES SUD JUNIOR

Comme tous les matins à Vlalbonvent,
Jean-Michel le caribou des bois se réveille de bonne heure.

Il enfile son super justaucorps,

ses super boots,

ses raquettes à réaction,

sa super cape,

son lasso magique,

ses super gants,

et enfin son super masque !

Et voilà je suis prêt !

Jean-Michel est prêt à accomplir de nouveaux exploits !

En plein vol, Jean-Michel
aperçoit soudain quelque chose.

Ni une ni deux, Jean-Michel sauve le lapin
et l'emmène illico à l'hôpital.

Jean-Michel déboule à l'hôpital comme une fusée.

Il tombe nez à nez avec un docteur.

Mais le regard de Jean-Michel croise alors celui de...

Gisèle, une magnifique chamelle qui sent bon le Chamel n° 93.

Jean-Michel se sent soudain bizarre. Aucun mot ne sort de sa bouche, ses jambes se mettent à trembler...

Pris de panique, Jean-Michel prend la fuite !

De retour dans son bois, Jean-Michel
ne comprend pas ce qui lui arrive.

Il est tombé amoureux !
Un petit chœur de biches le suit partout.

Jean-Michel décide d'aller voir
son ami **Albert** l'ours polaire
pour lui raconter sa mésaventure.

Alors Jean-Michel s'entraîne devant Albert à déclarer sa flamme.

Bien préparé et sûr de lui,
il part en direction de l'hôpital.

Jean-Michel arrive en trombe dans le hall, surexcité.

Il la voit, il s'approche,
tout tremblant.

Gisèle !
Elle est tellement belle !
Allez, Jean-Michel se lance.

Ze vous tlouve extlaoldinailement chublime et mon coeul est tlanspolté de Bonheul à saque inchtant où je penche à vous...

Horreur ! Sa langue fourche
à chaque mot.

Jean-Michel est mort de honte...

Pauvre Jean-Michel !

et préfère s'enfuir en courant.

Désespéré, Jean-Michel retourne voir son ami Albert.

C'est horrible, je ne sais plus parler ...

Je ne comprends pas, tous les "R" devenaient des "L", tous les "S" devenaient des "CH"!

L'ours polaire semble avoir une idée.

Sans traîner, il l'emmène chez **Francis** le fourmilier.

C'est un chanteur-poète passionné.

Jean-Michel explique
son problème à Francis.

Ha! vous,
Cupidon vous a
décoché sa flèche,
ça ne fait aucun
doute!

Mais je suis
un super-héros
quand même.

Alors Jean-Michel s'entraîne à chanter son amour.

Regonflé à bloc,
il repart à l'hôpital.

Jean-Michel fonce retrouver Gisèle.

Il la voit.

Elle se retourne...

Gisèle, la plus belle
des chamelles !

Jean-Michel se met à chanter mais voilà
que toutes les voyelles se transforment en "i" !

Encore une fois,
il s'échappe à toute vitesse,
rouge comme une tomate.

Jean-Michel retourne chez Francis,
dépité.

La CATASTROPHE ! J'ai perdu toutes mes voyelles…

Le fourmilier semble avoir une idée.
Ni une ni deux, il emmène Jean-Michel
chez **Edmond** le cochon.

Chez Edmond
l'orthophoniste

C'est un orthophoniste
très réputé.

Jean-Michel,
je te présente
Edmond.

Jean-Michel explique son problème à Edmond.

Edmond lui propose quelques exercices.

Ayant repris espoir,
Jean-Michel retourne à l'hôpital.

Dans le hall, Jean-Michel cherche Gisèle.

Ça y est, il l'aperçoit.

Elle est si belle !
Mais lorsqu'il ouvre la bouche, misère...

Ej ouw vetrou traexdiormenai blimsu et rmantecha, mon recoeur est sportétran de neurbo à quach stan-in où ej sepen à ouw.

Cette fois,
c'en est trop...

Plus mort de honte que jamais, il repart accablé,
en traînant ses raquettes aux pieds...

Jean-Michel, effondré, retourne auprès d'Edmond.

Le cochon semble avoir une idée.

Et hop ! Edmond emmène
Jean-Michel chez
Henriette la souris.

C'est une experte en lettres d'amour...

Jean-Michel explique son problème
à Henriette.

Jean-Michel prend sa plus
belle plume pour écrire
une lettre d'amour.

Quand il a terminé,
il repart un peu hésitant
vers l'hôpital.

Jean-Michel est décidé à lui donner sa lettre.
Il se dit que c'est sa dernière chance.

Lorsqu'il voit Gisèle, son cœur bat la chamade,
ses mains sont moites.

Il lui tend sa lettre d'amour…
et, sans attendre, s'enfuit en courant.

Un peu inquiet, Jean-Michel
va s'isoler dans le bois
pour réfléchir.

Gisèle tend une lettre
à Jean-Michel.

Cher Jean-Michel,
Merci pour ta lettre
magnifique.
Je suis désolée, je suis
tellement triste de ne
pas avoir pu comprendre
ce que tu voulais me
dire, je suis sourde,
et je parle le langage
des signes. Si tu veux,
je peux t'apprendre
mon langage. Gisèle ♡

Alors Gisèle apprend
à Jean-Michel quelques
lettres de l'alphabet
de la langue des signes...

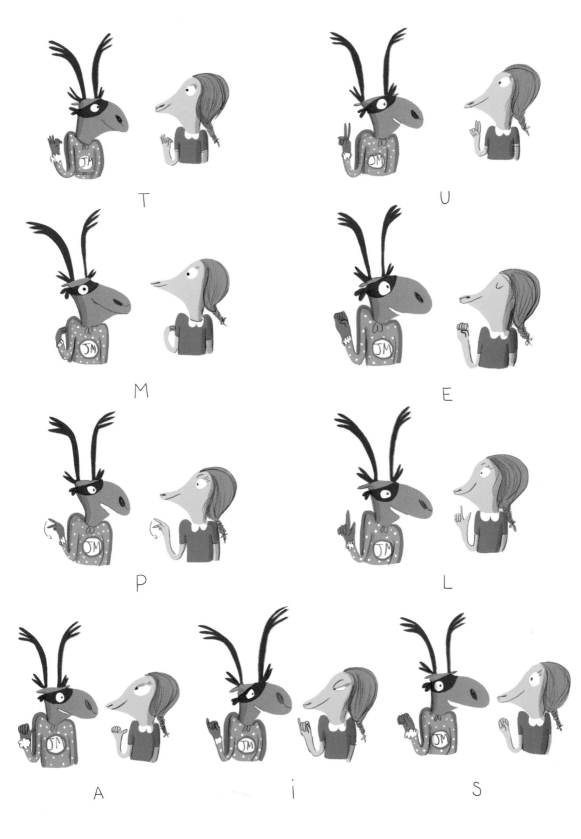

T

U

M

E

P

L

A

i

S

Et ch'est ainchi que Chan-Mijel et Chisèle
ch'emblachèlent tendlement.